wat zit er in die doos?

claudia de boer

tekeningen
els van egeraat

KLUITMAN

Klavertje Een-serie

AVI 1	AVI 2
het spook	de hut
waar is vlek?	de heks
een paard in de tuin	hoor jij dat ook?
de eend	ik zoek een muis
wat zit er er in die doos?	kletsnat
bas en brit (serie)	de leeuw
	pien wil een pony

Boeken met dit vignet zijn op
niveaubepaling geregistreerd
en gecontroleerd door
KPC Groep te 's-Hertogenbosch.

Nur 287, 281/P100303
© Uitgeverij Kluitman Alkmaar B.V.
Omslagontwerp: Winny Koenn

Klavertje 1
AVI 1 na 4 maanden leesonderwijs
AVI 2 na 6 maanden leesonderwijs

Klavertje 2
AVI 3 na 9 maanden leesonderwijs
AVI 4 na 1 jaar leesonderwijs

Klavertje 3
AVI 5
AVI 6 na 18 maanden leesonderwijs

Klavertje 4
AVI 6
AVI 7 na 2 jaar leesonderwijs

„pap, ik wil een step."
bart tilt zijn mok op.
„ja, ik ook!" roept els.
„ho ho," zegt pap.
„daar gaan we weer!"
bart kijkt nu naar mam.
„mag het?
joep heeft ook een step."
„nee," zegt mam.
„een step voor jou en voor els,
dat gaat zo maar niet.
het is geen feest."
„mam, doe niet zo saai," roept els.
„floor heeft ook een step."
„ja, ja," zegt pap.

els kijkt boos naar pap.

„ik wil ook een step!"

„zeur niet zo," zegt pap.

„toen ik net zo oud was als jij…"

„kreeg jij ook nooit iets," zegt bart.

„dat wist ik al, pap."

pap wijst met zijn vork naar bart.

„zo is dat.

ik wou heel graag een trein.

maar nee hoor.

ik kreeg hem niet."

els slaat haar arm om pap heen.
„maar dat was toen, pap!
nu is nu.
koop nou een step voor ons.
dan vind ik je heel lief!"

„o, o," zegt mam.
„wat ben jij slim!"
pap kijkt op de klok.
„hee, ik moet weg."
mam gaat ook snel staan.
„is het al zo laat?
ik ga naar mijn werk.
en bart en els...
hup, naar school!"

het is vier uur.
de school is uit.
bart en els zijn thuis.
pap is in de tuin.
en mam is nog op haar werk.
bart zit voor de pc.
els loopt naar hem toe.
„wat doe je?
dit spel ken ik niet."
bart kijkt op.
„dit is geen spel.
het is klik-en-koop."

„klik-en-koop?" zegt els.

„wat is dat?"

bart laat het zien.

„kijk, zo koop je iets.

je koopt het op het net.

vind je dit niet gaaf?"

els kijkt goed wat bart doet.

„maar dat mag je toch niet?"

„nee," baalt bart.

„hee, zie je die step?

die wil ik.

en zo duur is hij niet."

„gaaf, man!" zegt els.

„die wil ik ook wel."

els wijst.

„zeg bart,

hoe koop je nou op het net?"

bart pakt de muis.
„kijk, dat doe je zo.
wil je die step?
zoek hem in de lijst.
dan klik je het woord aan.
snap je wel?"
els kijkt raar.
„hoe komt die step dan bij ons?"
bart legt het uit.
„nou, je vult je naam in.
en waar je woont.
de post doet de rest.
zal ik het eens doen?
voor de grap?"

„doe maar!" roept els.
„dan wil ik die step."
bart zoekt in de lijst.
bij **step** doet hij klik.

dan zoekt hij weer.
„die trein is voor pap.
die wil hij zo graag!"

els pakt de muis.
„en ik weet wat voor mam."
ze zoekt in de lijst.
„ja, die is leuk," zegt bart.

els is klaar.
bart pakt de muis van els.
„en ik neem ook een step!"

dan gaat de bel.

els kijkt uit het raam.

„hee, joep staat voor de deur.

hij heeft zijn step mee."

„o," zegt bart.

„dan ga ik!

zet jij de pc uit?"

„hoe moet dat dan?" roept els.
maar bart rent al naar de deur.
boem! hoort els.
dat is de deur.
bart is weg.

hoe moet die pc nu uit?
wat doet pap dan?
els weet het niet meer.
ze doet zo maar wat.
maar dat gaat fout...

er is een dag om.
de school is uit.
bart loopt met els naar huis.
mam ziet hen al.

„hoi!" roept mam.
„hoe was het op school?"
„goed," zegt els.
„het was leuk," roept bart.

bart doet zijn jas aan de haak.
er ligt post op de mat.
er zit een kaart bij.
bart leest de kaart.
hij rilt.
nee, dit is niet waar!

de kaart is van de post.
de post had een pak.
een pak van klik-en-koop.
om drie uur komt de post weer.
met het pak.
„help!" zegt bart.
„hoe kan dat nou?"
els kijkt bart aan.
„wat is er aan de hand?"
„die kaart," zegt bart.
„is dit een grap van jou?"

„ik weet van niets," zegt els.

„wat staat er op die kaart?"

bart legt het uit.

„o, wat erg," roept els.

bart is boos op haar.

„het was maar een grap,

die step van klik-en-koop.

maar jij deed iets fout.

en nu komt die step hier!"

els zegt niks.

bart wijst naar de kaart.

„wat doen we nu?"

16

els bijt op haar lip.

„ik weet wat.

ik blijf bij de deur.

want dan ben ik er,

als de post komt."

bart doet de kaart in zijn zak.

„als mam de bel maar niet hoort."

„dat hoop ik ook," zegt els.

dan komt mam in de hal.

„bart, geef de post maar hier.

ik ga zo in de tuin aan het werk.

wie wil er mee?"

„ik niet," zegt els.

„geen zin."

bart geeft mam de post.

„ik ook niet."

„dan niet," zegt mam.

mam is in de tuin.

bart en els staan in de hal.

het is drie uur.

els kijkt op de klok.

„waar is de post nou?"

„hij komt zo," zegt bart.

els wipt op haar voet.

„en als hij laat komt?

dan zien pap en mam het."

bart haalt zijn neus op.

„weet ik ook niet.

het was jouw fout."

„niet!" zegt els.

„ook die van jou.

want jij liep snel weg.

en ik weet niet hoe de pc uit moet."

bart kijkt nu ook op de klok.

„de post is veel te laat.

dit gaat niet goed."

els bijt op haar haar.

dan ziet ze een man.

„is dat niet de post?"

de bel gaat.

els doet de deur los.

„is dat voor ons?"

„ja," zegt de man.

„is dit het huis van bart groen?"

„dat ben ik," zegt bart.

de man zet de doos in de hal.

„dan is dit voor jou!"

de man van de post is weer weg.
„wat is die doos groot!" zegt els.
bart loopt om de doos heen.
„hij is van klik-en-koop.
maar zit er een step in?"
els pakt de doos vast.
„hij is wel zwaar.
kom, dan kijk ik in de doos."
els maakt de doos stuk.

bart kijkt in de doos.
„zie je wel.
het is een step!"

els haalt de flap van de doos weg.
„en nog een step!
en een trein."
bart kijkt blij.
„die is voor pap!"

els haalt nog iets uit de doos.
„dit is de trui die mam zo graag wil."
bart kijkt nu niet meer blij.
„hee, els," zegt hij.
„wat doen we hier nou mee?"

„weet ik niet," zegt els.
„maar die doos moet weg."
bart kijkt rond.
„ja, maar waar moet hij heen?"
els weet het al.
„sleep hem daar maar heen!"

bart hoort iets bij de deur.

hij kijkt naar els.

„o, o," zegt hij.

„dat is pap.

nu zijn we er bij!"

„hoi, bart en els," zegt pap.

„hee, voor wie is die doos?

en wat zit er in?"

pap kijkt in de doos.

„wat, een step?

komt die van klik-en-koop?

hoe kan dat nou?"

els veegt een traan weg.

„het komt door mij, pap.

ik deed iets fout met de pc."

pap haalt zijn hand door zijn haar.

„dat is niet zo mooi.

wat deed je dan?"

els legt het uit.

maar de trein noemt ze niet op.

en de trui ook niet.

„nou," zegt pap.

„wat doen we daar nu mee?

ik vraag het wel aan mam."

pap praat met mam.
„weet jij al van die doos?"
mam gaat staan.
„wat voor doos?"
pap wijst naar het huis.

„een doos van klik-en-koop.
er zit een step in."
mam legt haar schep neer.
„hoe komt die hier nou?"
pap legt het uit.
mam veegt een lok haar weg.
„nou, dat is dan leuk van els.
kom, we gaan naar ze toe."

25

els en bart staan nog bij de doos.
pap en mam zijn er nu ook.
„mam," zegt els.
„ik kon er niets aan doen!"
„ja, dat zei pap," zegt mam.
„laat die step maar eens zien."
mam kijkt in de doos.
„kijk nou eens, jan.
het zijn er twee!
en er zit nog meer in!
een trein en een trui.
voor wie zijn die?"

26

bart kijkt pap aan.
„die trein was voor jou.
jij wou zo graag een trein,
toen je net zo oud was als ik!"
„dat weet je nog goed," zegt pap.
hij kijkt mam aan.
„hoor je dat?
er is ook iets voor mij.
dat is wel lief van bart."
„ja, dat is waar," zegt mam.

„o, maar mam," roept els blij.
„die trui is voor jou!"
„voor mij?" zegt mam.
„ja," zegt els.
„die vond je zo mooi!"
mam kijkt raar.
„dat is waar, els.
dat je dat nog wist."

mam pakt de trui.
„wat is hij mooi.
nou, de prijs valt wel mee."
pap pakt de doos van de trein.
„hm, de trein is ook gaaf.
en er zit een spoor bij."

pap kijkt naar mam.

„wat doen we nou?"

„toe maar," zegt mam.

bart en els zijn blij.

„het mag!" roept bart.

„is dat zo, mam?" zegt els.

„ja, hou je step maar.

dat mag van pap en mij!"

„ja!" roept bart.

„hoi!" roept els.

vlug belt bart joep.

„ik heb ook een step."

„gaaf hee," zegt joep.

„ik kom!"

29